W9-CBG-916

COLLECTION
RAPPELS

Le testament du couturier

Du même auteur
chez le même éditeur

Requiem suivi de *Fausse route*, 2001
La dernière fugue
suivi de *Duel* et de *King Edward*, 1999
L'homme effacé, 1997
Le bateleur, 1995
French Town, 1994
Corbeaux en exil, 1992

Michel Ouellette

Le testament du couturier

théâtre

Correspondance:
Département de français, Université d'Ottawa
60, rue Université, Ottawa, Ontario K1N 6N5
Tél. (819) 243-1253 - téléc. (819) 243-6201
lenordir@sympatico.ca

Mise en pages: Robert Yergeau
Correction des épreuves: Jacques Côté
Photographie de la couverture: Annick Léger, lors de la création de la pièce par le Théâtre la Catapulte, en février 2003, à La Nouvelle Scène d'Ottawa
Crédit photographique: François Dufresne

Dépôt légal: troisième trimestre 2008

ISBN 978-2-89531-018-1

LE TESTAMENT DU COUTURIER

Les personnages sont tous interprétés par un seul acteur:

FLIBOTTE
le commerçant
MIRANDA
la femme de l'urbaniste
ROYAL
l'urbaniste
MOUTON
le tailleur
YOLANDE
la secrétaire de l'urbaniste

NOTE DE L'AUTEUR

Vous avez entre les mains le texte positif de la pièce *Le testament du couturier*. Positif parce qu'il est fait de la moitié des répliques du texte original. Positif, aussi, parce qu'il est «réel». La partie négative, donc «virtuelle», est dans le silence des répliques enlevées.

I. FLIBOTTE

Flibotte pénètre dans l'atelier du tailleur, Mouton.

FLIBOTTE: Bonjour, mon cher Mouton!

...

FLIBOTTE: Tu ne me reconnais pas? C'est moi, Flibotte. Flibotte. Oui, oui.

...

FLIBOTTE: Mort? Moi? Simplement, j'étais en retraite. Pour cause de fatigue. Rien de grave. Comme tu peux le constater, je suis bien rétabli. Un rien peut me ralentir, mais rien ne peut m'arrêter.

...

FLIBOTTE: Je t'apporte tissus et patrons. Ma retraite n'a pas changé mon état. Je suis toujours marchand. Regarde. J'ai ceci pour toi. N'est-ce pas qu'il est magnifique, ce tissu? Vas-y! Touche-le. Tu meurs d'envie de promener ta main sur cette douceur.

...

FLIBOTTE: Tu vois les légers défauts de fabrication. L'humain laisse des traces. La machine, elle, efface tout.

...

FLIBOTTE: Oui, de main d'homme.

...

FLIBOTTE: Voyons! Les S.S. des Services sanitaires ne débarqueront pas chez toi avec leurs grosses bottes pour te bannir de la Banlieue. Tu sais garder un secret.

...

FLIBOTTE: Je connais l'ordonnance par cœur. Mais rassure-toi, tu ne risques pas de propager les germes de la Maladie. Je suis entré dans la Banlieue par la voie habituelle. J'ai fait tamponner mon passeport à la Frontière. J'ai déclaré faire le commerce de tissus. Le système de contrôle n'a pas détecté la présence de cette étoffe dans mon ballot.

...

FLIBOTTE: Je n'ai pas eu à soudoyer les gardes. J'ai laissé leur système de contrôle sophistiqué contrôler les irrégularités de ma personne et de mes biens. La Machine n'a pas mot dit. Alors. Tant pis pour eux. Tant mieux pour toi.

...

FLIBOTTE: Je vois que ces quelques mètres de tissus illicites te fascinent. J'en suis bien aise. J'ai autre chose à t'offrir pour combler de bonheur ta vie de simple tailleur.

...

FLIBOTTE: Un patron. Le patron d'une robe. Une robe comme il ne s'en fait plus de nos jours. Pas une de ces toges républicaines que toutes les femmes de la Banlieue portent. Des horreurs, ces vêtements. Sans âme. Sans sexe. Sans beauté. Non. Une vraie robe. J'ai trouvé ce patron parmi les vieilleries d'un ami à moi qui est antiquaire dans la Cité. On le date du dix-septième siècle. Imagine. Tu as entre les mains un objet du dix-septième siècle. Mieux que ça: un plan, une idée même.

...

FLIBOTTE: N'en déplaise aux Élus de la Banlieue, tout ce qui s'est fait avant notre millénaire n'était pas qu'erreurs et monstruosités. Il y avait là aussi du beau, de l'humain.

...

FLIBOTTE: Si on leur donnait raison, cela voudrait dire que la Banlieue est construite sur les erreurs et les monstruosités des siècles passés.

...

FLIBOTTE: Mais non, je ne veux pas troubler ton sens moral. Tu peux toujours continuer à croire en l'Avenir et refuser le Passé. Fais ce que dois pour être heureux.

...

FLIBOTTE: Le tissu et le patron, je te les offre parce que j'ai beaucoup pensé à toi pendant ma retraite. Tu es un ami, Mouton. Un vrai. Mon seul ami. Accepte mes cadeaux comme un gage de notre amitié.

...

FLIBOTTE: Tu te méfies de tout et de tout le monde. Il faudra que tu corriges cette vilaine habitude.

...

FLIBOTTE: Même s'ils proviennent de la Cité, le tissu et le patron ne sont pas contaminés.

...

FLIBOTTE: La cybervision! Bien sûr! À la cybervision, on dénonce la sexualité, la criminalité, l'immoralité qui règne dans la Cité. On stigmatise la conduite de tous ces misérables qui vivent sans lois. À la cybervision, on aime à dire que la Maladie s'est abattue sur eux pour les punir. En fait, que leur reproche-t-on? De vivre selon leurs pulsions élémentaires. C'est-à-dire d'être de vrais humains. À la cybervision, on aime montrer des images des ravages de la Maladie dans la Cité: l'air jaune, jaune et puant, le jaune de la mort, qu'on appelle ça; et les cadavres qui pourrissent pendant des jours dans les rues avant d'être ramassés par les S.S. des Services sanitaires; et les malades qui souffrent, seuls et abandonnés, qui se cachent des S.S. pour ne pas finir leurs jours à Lazarette: la ville construite pour eux.

...

FLIBOTTE: D'accord. D'accord. Je m'en vais. Je ne dérangerai plus ta quiétude. Je te laisse à ton fil et tes aiguilles. J'ai d'autres clients à voir. À plus tard, Mouton. Je repasserai.

II. MOUTON

Dans son atelier, Mouton découvre un texte inscrit sur le patron de la robe. Il le lit.

MOUTON: «En l'an de grâce 1665, moi, simple couturier, du village d'Eyam, dans le Derbyshire, malade et mourant, j'écris ici mon testament. Je lègue ce patron à la postérité. Il s'agit du plan d'une robe, de ma main dessinée, pour la plus belle dame, Ann Mompesson, fille du pasteur William Mompesson. La fin du monde est en moi, mais le monde renaîtra par la grâce de Dieu. Que celui qui lira ces lignes accomplisse mes dernières volontés, pour que la Lumière domine les Ténèbres. Que celui qui aura entre les mains ce patron trouve fils et aiguilles pour achever cette robe esquissée.»

III. MIRANDA

Dans le cabinet, Miranda est en consultation avec le docteur Corvin.

MIRANDA: Pas le divan... Je veux rester debout... Marcher sur votre spongieux tapis.

...

MIRANDA: Oui. Assez de préambule. Commençons, docteur Corvin. Commençons.

...

MIRANDA: Mes désirs érotiques? Mes rêves? Que dire?

...

MIRANDA: Je ne veux plus explorer mon fantasme clitoridien. Je suis lasse. Lasse de toute cette thérapie qui consiste à dire pour ne pas faire. Quelque chose brûle en moi.

...

MIRANDA: Ne me rabattez pas les oreilles avec vos théories de la psychologie érotologique. J'en ai assez. Assez! Je ne sais plus qui je suis. Je sais seulement que je ne veux plus être celle que j'ai été.

...

MIRANDA: Pas de prescription! Plus de médicaments! Plus de thérapie! J'abandonne, docteur Corvin. C'est fini. J'arrête.

...

MIRANDA: Je sais que ma libération de la sexualité est imminente. Mais j'étouffe dans votre cabinet. Votre divan m'angoisse. Je ne peux plus venir ici une fois par semaine pour vous confier mes plus secrets désirs. Je ne veux plus.

...

MIRANDA: Gardez vos avertissements pour d'autres plus faibles. Bien que notre travail érotologique ait éveillé en moi nombre de désirs sexuels refoulés qui flottent à la surface de mon être, de ma peau, je saurai m'en défendre. Ils ne m'entraîneront pas dans des voies dangereuses ou illégales. Je sais me tenir en société. Je ne succomberai pas à la tentation.

...

MIRANDA: Oui, oui, oui. Le credo de la femme de la Banlieue: la sexualité n'est pas l'amour; la sexualité n'est plus la reproduction; l'amour est à trouver au foyer dans le couple; la reproduction se fait en laboratoire dans des éprouvettes. Vous voyez, armée de ces versets, je serai invulnérable.

...

MIRANDA: J'ai sciemment oublié le cinquième verset. Voilà. Je ne crois plus que la sexualité se trouve dans la parole, ici, dans l'intimité de votre cabinet.

...

MIRANDA: Au revoir, docteur Corvin. Ne prévenez pas mon mari de ma décision. J'ai le droit de mettre un terme à ma thérapie sans son consentement.

IV. ROYAL

Chez lui, Royal attend le retour de Miranda.

ROYAL: Miranda! C'est toi? Dis-moi que c'est toi. Miranda?... Ce mal dans ma tête, il me la fait perdre, la tête. J'entends des bruits dans le silence. Je vois des choses dans le noir... Suis-je en train de devenir fou?

...

ROYAL: Ah, c'est bien toi, Miranda. D'où viens-tu?

...

ROYAL: Bien. Tu fais bien d'y aller. Ça fait taire les mauvaises langues qui voudraient me salir. Des jaloux. Ils me scrutent, me tâtent, me tâtonnent. Dans le noir. Ils sont dans le noir. Mieux vaut ne pas leur montrer ne serait-ce qu'un filet de lumière.

...

ROYAL: Oui. Oui. Oui. Je me suis reposé. J'ai fermé les yeux, mais ils sont restés ouverts. Les choses que j'ai vues, Miranda. Des choses terrifiantes.

...

ROYAL: Que vais-je faire? Je ne peux pas rester comme ça. On doit me soigner. Il faut me guérir.

...

ROYAL: J'en ai assez des médecins. Ils m'ont piqué. Ils ont étudié tous mes liquides. Ils m'ont sondé, m'ont tâté, ont tâtonné. Dans le noir. Le noir. Des aveugles avec des baguettes. Mais c'est moi qui souffre des coups maladroits de leurs baguettes maudites. Moi. Je souffre. Ma tête!

...

ROYAL: Oh, oui! Une tisane! C'est ça. Prépare-moi une bonne tisane. Ça va me faire du bien. Ça fait du bien, tes tisanes, Miranda. Une bonne tasse et je serai rétabli. Je dois me remettre au travail. Le cyberphone n'a pas arrêté de m'interpeller. Heureusement! Entre deux hallucinations, sa sonnerie m'a ramené à moi.

...

ROYAL: La panique règne au bureau. Le système de contrôle de la Frontière est bloqué par un virus. Tous les systèmes sont inopérants. L'heure est grave. La Banlieue est vulnérable.

...

ROYAL: Mais j'en suis responsable, Miranda. J'ai créé les logiciels qui contrôlent le système de contrôle de la Frontière. Il faut que je m'en occupe. Pour l'instant, j'ai réussi à faire garder le silence sur l'affaire. Pas de scandale. Pas de panique. Je leur ai dit de faire comme si tout était normal. Tout doit paraître normal. Mais je dois régler la situation sans tarder. Dans une semaine, il y a mon investiture à la mairie de la Banlieue. Alors... Oh! Mon investiture! Tu pourrais passer chez le tailleur ramasser mon costume? Je n'aurai pas le temps d'y aller.

...

ROYAL: Merci, Miranda. Tu es un ange.

...

ROYAL: Ah! voilà! Oh! c'est chaud! Pas grave. Je la boirai bouillante, ta tisane. Bouillante. Mmmh! Ha! Ça va droit au cœur. Droit au cœur. Miranda. Déjà, ça me ravigote. J'aurai la force de rentrer au bureau et de mater la révolte qui se prépare dans le chaos.

...

ROYAL: Quoi?

...

ROYAL: Mais c'est pour les femmes. Les femmes ont besoin de la psychothérapie érotologique. Les hommes. Nous. Moi. Je n'ai pas besoin de dire l'érotisme. Je suis un homme moderne: je n'ai plus de désirs érotiques. Seules les femmes souffrent toujours de ce malaise d'avant notre millénaire. Elles ont le souvenir de ces choses-là. C'est pour cela que la psychothérapie érotologique leur est d'une utilité. En parlant de la Chose, ces femmes l'évacuent.

...

ROYAL: Pas toi, Miranda. Toi, tu n'es pas comme les autres. Tu es un ange. Tu n'as pas de sexe. Tu es idéale, parfaite. La perfection en chair et en os.

...

ROYAL: Dans ce cas, si ton psychothérapeute fait aussi de la psychothérapie classique, je veux bien essayer. On ne sait jamais. Mon mal de tête a peut-être des origines psychiques.

...

ROYAL: Oui. Prends un rendez-vous pour moi.

...

ROYAL: Le docteur Corvin.

...

ROYAL: C'est... c'est une femme? Tiens, ça ne me surprend pas.

V. MIRANDA

Miranda entre dans l'atelier de Mouton.

MIRANDA: Pardon? Monsieur? En entrant dans la boutique, les sonnettes ont tinté, personne n'est venu à ma rencontre, alors... Je me suis permis de traverser le rideau. Je m'excuse de pénétrer ainsi, sans invitation, dans votre atelier. Je ne voulais pas vous prendre à l'improviste.

...

MIRANDA: Je suis Miranda, la femme de monsieur Royal.

...

MIRANDA: Je vous en prie. Vous êtes tout excusé. Mon mari m'a demandé de passer prendre son costume. Il est prêt?

...

MIRANDA: Vous faites toujours de l'excellent travail, monsieur Mouton. Mon mari est l'homme le mieux habillé de la Banlieue.

...

MIRANDA: Dites-vous que mon mari a aussi ses défauts. Nul homme n'est parfait. Ou, plutôt, l'homme est parfait par ses imperfections.

...

MIRANDA: Laissez. Je me comprends. Mon mari vous paie pour l'habiller et en l'habillant, avec le talent qu'on vous connaît, vous aidez à cacher avec bonheur ses imperfections. Grâce à vous, il gagnera l'investiture et deviendra le prochain Maire de la Banlieue.

...

MIRANDA: Plus on est grand, plus grandes sont les imperfections et plus ça prend de talent pour les dissimuler.

...

MIRANDA: Je vous complimente, monsieur Mouton.

...

MIRANDA: Comment arrivez-vous à vous retrouver dans tout ce bazar de tissus?

…

MIRANDA: Pardonnez ma curiosité. C'est la première fois que je mets les pieds dans un atelier d'artisan. Ça m'impressionne. Montrez-moi comment vous confectionnez un habit.

...

MIRANDA: Allez. Une simple démonstration. Je voudrais voir vos mains manipuler le fil et l'aiguille. Ne soyez pas timide.

…

MIRANDA: Qu'il est beau, ce tissu! Comme il est doux! C'est merveilleux. Mais... Qu'est-ce que c'est? Ça là. Sur votre table de travail… On dirait des parchemins?

…

MIRANDA: Pourquoi tremblez-vous?

...

MIRANDA: Oui. Vous tremblez. Vous avez peur. Ça se lit dans vos yeux.

...

MIRANDA: Arrêtez de vous confondre en excuses. Vous n'avez pas d'excuses ni d'explications à me donner. Je ne suis pas des Services sanitaires, moi.

...

MIRANDA: Ces parchemins moisis, que racontent-ils?

...

MIRANDA: Le patron d'une robe?

...

MIRANDA: Je ne vous dénoncerai pas.

...

MIRANDA: Ne me remerciez pas... Faites-moi une faveur.

...

MIRANDA: Confectionnez la robe dessinée sur ce patron. Taillez-la dans ce beau tissu... Puis offrez-la-moi.

...

MIRANDA: Qu'importe si une telle robe n'a pas droit de cité dans la Banlieue. Gardons le secret sur cette affaire. Désormais, monsieur Mouton, seul le secret pourra nous sauver.

...

MIRANDA: Maintenant, sortez votre mètre. Ne faut-il pas que vous preniez mes mesûres?

...

MIRANDA: Pourquoi tant d'hésitation? Approchez. Mesurez-moi.

...

MIRANDA: Pourquoi la peur paralyse-t-elle votre main, monsieur Mouton? Pourquoi avez-vous peur de moi?

...

MIRANDA: Allez! Enroulez votre mètre autour de ma taille.

VI. MOUTON

Dans son atelier, Mouton poursuit sa lecture du testament.

MOUTON: «Je ne connais la naissance de la blessure. Elle est apparue, sans cause, à l'intérieur de la cuisse gauche: une enflure rouge. J'ai reconnu là le signe de ma mort. Dans l'espoir d'échapper à mon destin, en secret, j'ai pratiqué moi-même l'incision pour crever l'abcès. En vain: le poison reste en moi. Avec du vinaigre des quatre voleurs, j'ai lavé la plaie, mes outils, mes habits. Malheureusement, ce traitement est sans effet. Pourtant ma faiblesse veut de l'aide, car la fièvre m'emporte là où règne la folie. Le jour s'abîme dans la nuit. Je n'ose plus dormir de peur de ne plus jamais me réveiller. Le Malin veille sur moi. Dans d'affreuses rêveries, il m'entraîne et, à mes yeux, laisse voir les tourments des siècles à venir. Je n'ai plus beaucoup de temps.»

VII. ROYAL

Dans le cabinet, Royal consulte le docteur Corvin.

ROYAL: Docteur Corvin. Voilà. Me voilà. Appelez-moi Royal.

...

ROYAL: C'est pour faire plaisir à ma femme que je vous consulte. J'ai mal à la tête.

...

ROYAL: Les médecins n'ont trouvé aucune cause physique à mon malaise. Voilà pourquoi je me tourne vers vous. Vous. Vous êtes spécialiste des choses de la tête, disons, des choses qui ne tournent pas rond dans la tête.

...

ROYAL: Oui. Disons, psychothérapeute.

...

ROYAL: C'est la première fois. La première fois que... Je n'ai jamais souffert de ce genre de mal avant. Je suis en équilibre, moi. En parfait équilibre. Une santé équilibrée. Pas de trouble. Pas de folie dans la famille, non plus. Mes gènes sont sains, équilibrés. Une double hélice d'A.D.N. parfaitement tordue.

...

ROYAL: Ma femme? Que voulez-vous savoir? Vous la connaissez aussi bien que moi. Mieux que moi.

...

ROYAL: Je l'aime. Je l'adore. Je lui embrasse les pieds. Elle est formidable, un ange. Le problème n'est pas là. Il est. Dans ma tête. Même, je dirais qu'il descend. Ma tête descend dans ma poitrine. J'ai mal à la tête dans la poitrine. Vous comprenez? J'ai peine à respirer. Je m'essouffle.

...

ROYAL: Ce qui se dit ici reste ici, n'est-ce pas? Entre vous et moi, c'est secret, hein?

...

ROYAL: Confidentiel, c'est ça.

...

ROYAL: C'est un mal qui ne se dit pas facilement. C'est flou. Mais ça fait mal. À la tête. À la poitrine. J'ai peur. C'est une sensation de profondeur. Oui, c'est profond. Comme noir. Une sensation de noir. Douloureuse sensation noire. Un abîme troublant vertigineux.

...

ROYAL: Dites-moi ce que vous voyez. Docteur Corvin, éclairez-moi.

...

ROYAL: Comment ça, c'est tout? On a à peine effleuré le sujet.

...

ROYAL: Mais je suis pressé. Vous devez me guérir. Là, tout de suite. Faites vite. J'étouffe.

...

ROYAL: Je croyais que je vous payais, vous, pour faire ce travail d'excavation psychique.

...

ROYAL: Un labyrinthe? Une Bête? En moi? Alors, entrons dans le labyrinthe. Affrontons la Bête. Il me reste encore quelques minutes à vous consacrer.

...

ROYAL: D'accord. D'accord. À demain, docteur Corvin.

VIII. FLIBOTTE

Flibotte rencontre Royal à son bureau.

FLIBOTTE: Bonjour, monsieur Royal. Je vous attendais. Puis-je vous accompagner à l'intérieur de vos bureaux?

...

FLIBOTTE: Je vous prie de m'accorder une minute de votre précieux temps.

...

FLIBOTTE: Je sais que vous n'avez pas une minute à perdre. Je suis au courant de vos défaillances: le système de contrôle de la Frontière de la Banlieue est bloqué par un virus.

...

FLIBOTTE: Rassurez-vous. Je ne suis pas journaliste. Cette nouvelle, je veux bien la garder pour moi. Par contre, j'aimerais vous offrir mes services. Je puis vous débarrasser de ce virus.

...

FLIBOTTE: Flibotte, de nom. Marchand de tissus de profession. Mais on ne peut assigner une seule fonction à un homme libre. Je transige dans d'autres domaines, notamment dans l'informatique. Pour le compte de certains clients, j'achète et je vends des données. Parfois j'achète et je vends des virus. Vous saisissez l'étendue de mon expertise?

...

FLIBOTTE: Je préfère le terme «intermédiaire».

...

FLIBOTTE: Pirate. Intermédiaire. Mercenaire. Ne nous chamaillons point sur le titre. À voleur, voleur et demi, comme on disait autrefois.

...

FLIBOTTE: Ne le niez pas. Vous faites affaire régulièrement avec des services informatiques criminels. On ne se maintient pas dans votre position sans avoir des avantages obtenus par des moyens illégaux. Je sais de quoi je parle. Je sais que vous êtes derrière la copie frauduleuse des fichiers du Maire actuel de la Banlieue. Vous avez pénétré ses réseaux et ses banques de données à deux occasions. Vous voulez que je vous donne les dates?

...

FLIBOTTE: Le crime nous unit, monsieur Royal.

...

FLIBOTTE: Des amis à vous ont pris connaissance de vos troubles. Ils m'ont dépêché ici pour vous aider.

...

FLIBOTTE: Des amis à vous qui requièrent l'anonymat.

...

FLIBOTTE: Allez. Laissez-moi entrer. Je neutraliserai le virus bien avant vos informaticiens.

...

FLIBOTTE: Ça va. Vos amis ont déjà payé mes honoraires.

...

FLIBOTTE: Parfait. Vous ne le regretterez pas. Après vous.

IX. MIRANDA

Miranda retourne chez Mouton.

MIRANDA: Excusez-moi, monsieur Mouton… Laissez-moi reprendre mon souffle un instant.

…

MIRANDA: Merci. Ça va. Ça va aller.

…

MIRANDA: J'ai couru pour… On me pourchassait... Un homme me suivait.

…

MIRANDA: Je ne me souviens plus. Il ressemblait à… On aurait dit une bête! J'ai eu peur. J'ai couru pour ne pas qu'il me rattrape.

…

MIRANDA: Pas la police. C'est inutile.

…

MIRANDA: Monsieur Mouton, ne vous tracassez plus. Oubliez cette histoire. Tenez. Je retourne le costume de mon mari… Il est trop grand, paraît-il.

…

MIRANDA: Je lui ai dit que le costume lui allait parfaitement. Mais il a insisté. Trop grand.

...

MIRANDA: Je suis sûre que mon mari se trompe. Ces temps-ci, il est très énervé. L'investiture, vous comprenez. Cela fausse son jugement.

...

MIRANDA: Ne sortez pas votre carnet. Vos mesures sont bonnes. Vous n'avez qu'à faire quelques petites retouches superficielles et le tour sera joué.

...

MIRANDA: Maintenant, rangez le costume. Vous y travaillerez plus tard, quand je n'y serai plus.

...

MIRANDA: La robe. Dites-moi que vous avez fini de la tailler dans ce merveilleux tissu.

...

MIRANDA: Il faut travailler plus vite. Plus vite. Le silence nous presse. Nous ne saurons le garder éternellement.

...

MIRANDA: Que dites-vous là? Des inscriptions?

...

MIRANDA: S'il vous plaît, lentement, doucement.

...

MIRANDA: Un testament? C'est incroyable!

...

MIRANDA: Non, non, monsieur Mouton. Ne vous arrêtez pas. Au contraire, redoublez d'ardeur. Triplez vos efforts. Foncez.

...

MIRANDA: Appelez-moi Miranda. Vous m'avez fait une promesse. Tenez-la.

...

MIRANDA: Ne vous découragez pas. Vous n'êtes pas un simple tailleur. Vous êtes un grand couturier.

...

MIRANDA: Votre main. Touchez-moi. Vous en avez envie. Moi aussi. Laissez-moi guider votre main. Sur ma peau. Ma gorge.

...

MIRANDA: Pardonnez-moi, monsieur Mouton. Veuillez excuser mes faiblesses. C'est que j'ai abandonné ma psychothérapie érotologique. C'est pourquoi je suis sujette à des transports amoureux. Pour me calmer, rassurez-moi. Dites-moi que vous irez jusqu'au bout de votre travail. Cette robe, je veux la voir. Je veux la porter.

...

MIRANDA: Au travail, monsieur Mouton. Je vous laisse. Ma seule présence vous importune, n'est-ce pas?

X. MOUTON

Mouton poursuit la lecture du testament.

MOUTON: «Ann Mompesson, la fille du pasteur William Mompesson. Ann. Elle a la beauté d'un ange. Comme la beauté est une courte tyrannie qui trouble le jugement. D'amour fol, j'ai bravé les interdits. Devant le père, je suis allé demander la main de la fille. La colère a rencontré mon indiscrétion. De sa demeure, le bon pasteur m'a expulsé. Par mes atours, il m'a jugé. Mon fil et mes aiguilles sont ma perte. Ann ne peut épouser un vil couturier. Avec mes aiguilles, je pourrais la piquer. Mes aiguilles! Profondément, je me les enfonce dans la chair, jusqu'aux os, pour pleurer la douleur de ma déception. Mon cœur déçu est criblé d'aiguilles comme mon corps est criblé des flèches de la Peste. Je suis saint Sébastien transpercé de flèches. Saint Sébastien, priez pour moi. Sauvez-moi du mal qui m'accable. Je n'ai rien fait pour mériter un tel châtiment. Je n'ai fait qu'exprimer mon pur amour pour Ann Mompesson.»

XI. ROYAL

Royal raconte un rêve au docteur Corvin.

ROYAL: Alors, voilà, docteur! Voilà! Je rêve que je suis mort. Mort. Décédé. C'est ça… Mais je ne suis pas mort… Je rêve que je suis mort.

…

ROYAL: Comment entrer de nouveau dans mon rêve? C'est difficile. En ce moment, je ne dors pas. Je rêve seulement quand je dors.

…

ROYAL: Je me sentais mort, sans vie.

…

ROYAL: J'étais là. Immobile. Un mort, ça ne bouge pas. Ça reste là. Je ne bougeais pas.

…

ROYAL: Parce que j'étais mort.

…

ROYAL : Il y avait un vase près de moi. C'est ça. Un vase. Un vase de fleurs.

…

ROYAL: Des fleurs rouges. Comme rouges. Pourpres.

…

ROYAL: Oui, comme le pourpre royal. Oh! Dans mon rêve, j'étais un roi mort. Je m'appelle Royal. Il y a sûrement un lien.

...

ROYAL: C'est vous le psychothérapeute. Analysez les symboles. Moi, je parle, c'est tout. Je suis incapable d'interpréter ce qui se passe dans ma tête. C'est pour ça que je suis ici.

...

ROYAL: Je ne vois pas le lien entre mon rêve et mon mal. Je n'ai pas mal quand je rêve.

...

ROYAL: Parce que je suis mort. Les morts ne souffrent pas.

...

ROYAL: Moi? Songer au suicide? Jamais. Je n'ai pas ce gène-là. Moi, je m'aime trop pour me faire une telle violence. Je suis un homme important, docteur: le futur Maire de la Banlieue.

...

ROYAL: Rien. Tout va bien. Tout va pour le mieux. Sauf cette douleur dans ma tête qui descend dans ma poitrine. Sauf aussi… Mais je ne peux pas parler de ça. C'est top secret.

...

ROYAL: Bon… Il y a un virus dans le système de contrôle de la Frontière. Un virus qui bloque tout, qui paralyse tout.

...

ROYAL: Ah! Juste! Très juste! Le virus me paralyse. Comme dans mon rêve. Vous voyez clair, docteur. Ah! Il m'immobilise. C'est ça. Je vois maintenant. Je vois que c'est ce virus qui me fait rêver à ma mort. Il pourrait me ruiner, ce virus. Il va me tuer. Il pourrait. Politiquement parlant.

...

ROYAL: Il n'y a pas d'autre façon d'interpréter mon rêve. C'est trop clair.

...

ROYAL: Oui. C'est tout pour aujourd'hui. Bien sûr. Évidemment. J'ai compris mon rêve. Ah! J'ai bien fait de venir vous voir.

...

ROYAL: Mon mal? Il vient de descendre dans mon ventre. J'ai terriblement faim. Le mal attend peut-être d'être nourri.

...

ROYAL: Pourquoi donc? Ça ne sera pas nécessaire. Je suis guéri. Libéré. Le virus informatique est la cause de mon mal.

XII. FLIBOTTE

Flibotte converse avec Miranda.

FLIBOTTE: Ne vous choquez point, Miranda. Je suis entré chez vous comme vous êtes entrée dans les affaires de votre mari: sans invitation, sans frapper, par effraction.

...

FLIBOTTE: Flibotte. Votre mari m'a embauché pour neutraliser ce vilain virus qui bloque le système de contrôle de la Frontière. En faisant ce travail, je suis tombé sur les traces d'un autres virus qui a été vite neutralisé, il y a quelques mois, par la première ligne de défense du système. L'empreinte de ce deuxième virus, son fantôme, m'a intrigué. J'ai voulu connaître son origine. J'ai découvert que vous étiez derrière ce fantôme, Miranda.

...

FLIBOTTE: Comment vous êtes-vous procuré ce virus? Sur le marché noir?... Madame, on vous a vendu de la camelote.

...

FLIBOTTE: Vous dénoncer? Moi? C'est bien mal me connaître. Je ne cherche pas votre punition. Je m'intéresse plutôt aux motifs derrière votre geste.

...

FLIBOTTE: Excusez-moi. Vous comprenez mal ma curiosité. Je ne suis pas ici pour vous juger. Très sincèrement, j'admire votre tentative.

...

FLIBOTTE: Expliquez-moi. Dites-moi pourquoi vous avez inoculé ce virus.

...

FLIBOTTE: Permettez-moi de vous soumettre une explication de mon cru. Se pourrait-il que vous soyez jalouse? Jalouse des succès de votre mari. Je puis vous comprendre. Après tout, il ne pourrait prétendre à la Mairie de la Banlieue sans votre capital social, politique et financier. Monsieur Royal a construit sa réputation sur la vôtre.

...

FLIBOTTE: Votre silence vous honore. Il témoigne éloquemment de votre fidélité conjugale.

...

FLIBOTTE: Je garderai le silence, moi aussi. Il est de mise. Pour moi, cette histoire est déjà oubliée. Effacée. Même le fantôme du souvenir. Effacé.

...

FLIBOTTE: Je reviendrai vous voir. J'ai encore bien des choses à apprendre de vous. Vous êtes un mystère, Miranda. Un mystère.

XIII. MIRANDA

Miranda retourne voir le docteur Corvin.

MIRANDA: Vous aviez raison, docteur Corvin. Je reviens. J'avais juré le contraire, mais les désirs m'étouffent. Tout le temps. Partout. Je les sens me pourchasser. Toujours, je crois qu'un homme est à mes trousses. Un homme, une bête qui me traque. Plus je presse le pas, plus il accélère. Je m'affole. Je ne respire plus.

...

MIRANDA: Je voudrais reprendre ma thérapie. J'admets ma défaite. Je suis incapable de vivre sans votre aide. J'ai besoin de dire mon impuissance. J'ai besoin de dire.

...

MIRANDA: De dire un secret qui pèse lourd sur ma conscience. Je n'ose pas me délivrer de son poids.

...

MIRANDA: Vous avez raison.

...

MIRANDA: Mon mari m'a trahie.

...

MIRANDA: Il a des rapports sexuels. Pas avec moi, bien sûr. Avec une autre. Une libertine.

...

MIRANDA: Je n'invente rien. Il a des rapports sexuels avec Yolande, une écrivailleuse qui rédige ses discours. Yolande, sa secrétaire.

...

MIRANDA: Vous devez me croire.

...

MIRANDA: J'ai reçu des images par la cybervision sur notre canal privé. Une transmission anonyme. Des images qui ne laissent aucun doute. C'était bien lui, mon mari, et elle… sa secrétaire.

...

MIRANDA: Malheureusement, je n'ai pu sauvegarder ces images.

...

MIRANDA: Non. Non. Ce n'étaient pas des hallucinations!

...

MIRANDA : Je ne suis pas hystérique!

...

MIRANDA: Gardez-le, votre diagnostic. Si vous ne voulez pas me croire, comment puis-je vous accorder ma confiance?

XIV. FLIBOTTE

Flibotte vient voir Mouton.

FLIBOTTE: Bravo, mon cher Mouton. Je vois que tu t'es mis à l'œuvre. Déjà, cette robe commence à prendre forme.

...

FLIBOTTE: Il faut foncer au-devant de ta peur. C'est la seule façon de la vaincre. Foncer. Sinon la peur t'immobilisera. Et tu seras réduit à regarder ta vie passer devant toi comme si un autre que toi la vivait.

...

FLIBOTTE: Le fantôme du couturier?

...

FLIBOTTE: Tu n'as pas le choix. Tu dois réaliser les dernières volontés de cet homme mort il y a des siècles. C'est à nous, aujourd'hui, de faire ce qui n'a pu être fait autrefois. Le passé est toujours avec nous, même si on veut nous faire croire que, pour un homme moderne, le monde d'avant notre millénaire n'existe plus. Va à la rencontre du fantôme du couturier.

...

FLIBOTTE: Quel dommage que tu doives garder cette robe loin de la vue de tes concitoyens. Sans même se donner la peine d'en apprécier la beauté, juste en la voyant, ils te dénonceraient. Qu'à cela ne tienne, je serai donc l'unique témoin de ton œuvre.

...

FLIBOTTE: Une femme? Félicitations, Mouton. L'objet aura donc un sujet. Qui est donc cette femme?

...

FLIBOTTE: Pourquoi veux-tu la garder dans le silence?

...

FLIBOTTE: Voilà une bien bonne raison. Alors, je ne te presserai pas davantage. Garde ton secret pour toi.

...

FLIBOTTE: Maintenant, dépose tes épingles. J'ai un service à te demander.

...

FLIBOTTE: J'ai dans la nuque, tout juste sous la peau, une puce électronique. Je voudrais que tu me l'enlèves. Je dois la désactiver. Mais pour ce faire, il faut l'extraire de ma personne. Tu as des ciseaux. Coupe. Tu as du fil et des aiguilles. Couds.

...

FLIBOTTE: Garde-toi de poser trop de questions. Avec cette robe, je t'ai déjà trop compromis. Laisse-moi mes secrets. Je te laisserai les tiens. Le silence est une valeur sûre en cet âge de l'information. Allez. Opère.

XV. MOUTON

Mouton lit toujours le testament.

MOUTON: «Dans le village d'Eyam, j'ai été le premier atteint par les flèches de la Peste. Autour de moi, court la maladie. Le bubon, l'abcès, le charbon pesteux marquent la peau de mes concitoyens. Même Ann Mompesson a été mordue par la Bête dans son si joli cou. Pauvre Ann Mompesson. Pauvres gens d'Eyam. Tous, ils se font saigner. Ils se font traiter au vinaigre des quatre voleurs, comme moi. Tous, ils aboutiront où j'en suis en ce moment: fiévreux, faible et délirant. Déjà, la peur agit en eux. À l'église, ils brûlent des chandelles en offrande à la Vierge Marie, à saint Sébastien. Priez pour nous. Ils ne comprennent pas pourquoi Dieu nous envoie ce terrible châtiment. Quelles sont nos fautes? Il n'y a que 350 âmes ici. Eyam est un petit village sans importance. Dieu n'a pas raison de nous punir ainsi. À Londres, on peut comprendre sa divine colère. Londres et ses excès. Mais ici? Dieu est aveugle. Dieu est fou. Il punit les justes et les méchants sans discernement. Le bon pasteur William Mompesson dit qu'il ne faut pas fuir. Il n'y a pas de sanctuaire pour les malades ni les bien portants. Car, dit-il, ceux qui se sauvent transporteront la maladie avec eux. La semence invisible sera cachée dans leurs bagages, leurs habits, sur leurs mains, leurs lèvres. La semence invisible de la maladie. Comment la maladie est-elle entrée dans notre paisible village?»

XVI. YOLANDE

Au bureau, Yolande discute avec Royal.

YOLANDE: Quoi? Ton discours d'investiture? Je suis désolée, Royal. Je n'ai pas encore terminé de le rédiger. Mais sois sans crainte, il sera prêt bien avant la cérémonie. Tu auras amplement le temps de l'apprendre par cœur.

...

YOLANDE: Laissons ça. Revenons au livre.

...

YOLANDE: Examine bien l'illustration. Tu vois, je suis la femme, tu es l'homme. J'ai fait le mouvement tel qu'il est décrit dans le texte. La femme enroule la main fermement... D'un mouvement rythmé de haut en bas... De bas en haut... L'homme sent le plaisir monter en lui. De haut en bas. De bas en haut. L'homme…

...

YOLANDE: Tu fais erreur. Le mouvement circulaire, c'est pour la femme. Uniquement pour la femme. La femme est ronde. L'homme est droit. Donc, pour l'homme, le mouvement est de haut en bas, de bas en haut.

...

YOLANDE: Prends le livre. Regarde bien l'illustration. Lis attentivement les instructions. Tu verras que j'ai bien exécuté la manœuvre. Ce n'est pas moi le problème. C'est toi. C'est toi qui n'y arrives pas.

...

YOLANDE: C'est bien possible que ton mal de tête soit la cause de ton impuissance.

...

YOLANDE: C'est bête! De haut en bas. De bas en haut. À tant monter et descendre, on n'aboutit nulle part.

...

YOLANDE: Nous n'arriverons jamais à avoir de vrais rapports sexuels. Il nous manque l'autre tome du *Manuel d'initiation à la sexualité*. C'est dans l'autre tome qu'on explique comment passer aux prochaines étapes après la masturbation et la fellation.

...

YOLANDE: J'ai lancé un appel codé dans le cyberespace libertin de la Cité pour trouver un exemplaire de cet autre tome. Ça n'a rien donné. Sur le marché noir, on peut facilement trouver le premier tome, mais le deuxième est d'une telle rareté que je me demande s'il existe vraiment.

...

YOLANDE: Ne t'inquiète pas. Mon anonymat est assuré. Le tien aussi. Pour répondre à l'appel, il faut passer par toute une série d'intermédiaires. Des cerbères nous protégeront. Aucun décrypteur ne remontera jusqu'à la source.

...

YOLANDE: Tu ne veux pas reprendre la position?

...

YOLANDE: Comme tu veux. C'est toi le patron. Je me remets à la rédaction de ton discours.

...

YOLANDE: C'est ça. Va soigner ton mal de tête.

XVII. ROYAL

Royal raconte un autre rêve au docteur Corvin.

ROYAL: Hier, docteur. Cette nuit. Je n'ai pas dormi. J'ai dormi. Mais j'ai tellement rêvé que j'ai la sensation de ne pas avoir dormi. Un rêve. Toujours le même.

...

ROYAL: Il y avait des aiguilles. J'étais piqué partout. Des milliers. Des milliers d'aiguilles. Partout sur mon corps. Nu. Nu. Oui. J'étais complètement nu. Presque. Les aiguilles m'habillaient en quelque sorte.

...

ROYAL: Douloureux? Ah, oui! la douleur! J'avais mal. Hier soir. J'ai bu la tisane de Miranda et j'ai oublié mon mal et je suis tombé endormi et j'ai rêvé. Voilà. Le rêve des aiguilles.

...

ROYAL: Dans mon rêve. Les aiguilles, ça ne me faisait pas mal. C'était étrange. Oui, étrange. Je ne pouvais pas bouger.

...

ROYAL: Ma mort? J'étais mort? Ah, oui! Ce rêve-là. Le rêve de ma mort. Oui, j'étais mort. C'était à cause de ce virus. Il sera neutralisé. Bientôt, je reprendrai le contrôle du système de contrôle.

...

ROYAL: Oui. Oui. Malgré tout, le mal reste en moi. Il

grandit, je crois. Ce rêve. Les aiguilles. Je n'avais pas peur. Je restais là, immobile. Oui. Immobile. Et je regardais.

...

ROYAL: Ma femme, je crois. Oui. Miranda. Je regardais Miranda.

...

ROYAL: Elle portait cette robe. Pas une toge. Une vraie robe. Une incroyable robe d'un autre temps.

...

ROYAL: Rouge. Non. Pas rouge. Comme rouge.

...

ROYAL: Oh, là! Je vois. Pourpre. En effet. La robe était pourpre. Miranda était une reine.

...

ROYAL: J'étais recouvert d'aiguilles. Comme un hérisson. J'étais. Un hérisson. C'est. Voilà. Un hérisson. Devant elle. Couché. À ses pieds donc. Un hérisson. Une pauvre bête que personne ne veut toucher.

...

ROYAL: Je ne suis plus royal. Je suis un hérisson, un intouchable. Devant Miranda. Parce que. Parce que j'ai. J'ai.

...

ROYAL: Je ne sais pas. Demain, alors. À demain, docteur Corvin.

XVIII. FLIBOTTE

Flibotte offre un cadeau à Yolande.

FLIBOTTE: Bonjour. Si je ne m'abuse, vous êtes Yolande, la secrétaire de monsieur Royal.

...

FLIBOTTE: Je suis Flibotte. Monsieur Royal m'a confié la délicate tâche de résoudre un important problème de virus informatique. C'est pourquoi vous me surprenez en train de marteler le clavier de son ordinateur personnel.

...

FLIBOTTE: Vous veniez chercher quelque chose ou quelqu'un en entrant ici?

...

FLIBOTTE: Qui sait? Sans le vouloir, vous avez peut-être trouvé ce que vous cherchez?

...

FLIBOTTE: Excusez ma façon quelque peu cryptique de parler. C'est que parfois il faut emprunter des voies codées quand on a des affaires discrètes à faire. Je m'explique. Voilà. Je suis dans le commerce, dans toutes sortes de commerces. Les demandes inhabituelles sont ma spécialité.

...

FLIBOTTE: Je vois que mes tergiversations vous exaspèrent. Comprenez qu'il y a des paroles qui se disent mieux dans le silence, tout au moins dans une langue feutrée.

...

FLIBOTTE: J'ai eu vent d'un appel codé. Un appel à l'aide. À la connaissance. Vous saisissez?

...

FLIBOTTE: Vraiment, vous voulez me faire dire la chose. Soit. Vous l'aurez voulu. J'ai en ma possession un objet que vous convoitez.

...

FLIBOTTE: Un livre, pour être plus précis.

...

FLIBOTTE: Vous feignez l'ignorance, mais l'éclat dans vos yeux vous trahit. Il ne faut pas avoir peur de moi. Je suis l'allié de toutes les clandestinités.

...

FLIBOTTE: Je ne vous demande pas de confirmer que vous êtes à l'origine de cet appel. Je vous dis simplement que je puis vous remettre le livre. Là. Tout de suite.

...

FLIBOTTE: Tenez. Prenez-le. Vite. Glissez-le sous votre toge. Vous le consulterez à votre aise quand le moment s'y prêtera.

...

FLIBOTTE: Nous réglerons cette question plus tard.

Bonne lecture, Yolande. L'ignorance n'est pas une vertu. Même ici, dans la vertueuse Banlieue.

...

FLIBOTTE: C'est ça. Fuyez. Quand vous l'aurez ouvert, ce livre sera votre porte de sortie.

XIX. MIRANDA

Miranda retourne voir Mouton.

MIRANDA: Arrêtez de vous énerver au sujet du costume de mon mari. Il n'est pas prêt? Tant pis. Royal ne mérite pas de porter de si beaux vêtements. L'hypocrite!

...

MIRANDA: Vous ne connaissez que la surface de mon mari. Mais qui est-il vraiment? Le pourfendeur des libertins? Le grand défenseur de la Banlieue? Le créateur de Lazarette? Une grande âme? Mais daignez regarder sous le costume. Daignez le voir nu. Il est tout ce qu'il dit ne pas être. Dans son costume, il parle de chasteté, de pureté, de moralité. Dans son beau costume, il est un exemple à la cybervision. Mais tout nu, il est un homme. Et il vous trompe tous comme il me trompe, moi.

...

MIRANDA: À l'encontre des lois de la Banlieue, il a des rapports sexuels. De véritables rapports charnels avec une autre femme... Depuis que j'ai vu ces images, je ne sais plus qui je suis. Elles ont réveillé en moi de mortes sensations d'avant notre millénaire que je croyais pouvoir éteindre grâce à la psychothérapie érotologique. Mais cette psychothérapie est une thérapie du mensonge. Entre quatre murs discrets, on nous encourage à nous déshabiller de nos fantasmes pour mieux nous vêtir par la suite de contrevérités.

...

MIRANDA: Vous aussi? Vous croyez que je suis folle? Que je suis hystérique? Que je fabule?

...

MIRANDA: Bien calfeutré dans votre atelier de couture, parmi vos tissus, vous n'osez imaginer les impostures autour de vous? C'est plus simple de baisser la tête et de garder les yeux sur le fil et l'aiguille. Mais cette fois-ci, relevez la tête, Mouton. Regardez la réalité. Regardez-moi. Je vous dis la vérité. Regardez-moi.

...

MIRANDA: Le monde idéal dans lequel nous vivons n'existe pas. Pas vraiment. Alors, touchez-moi. Mettez votre main sur ma gorge.

...

MIRANDA: Pourquoi placez-vous cette robe en devenir entre nos corps?

...

MIRANDA: Je la porterais volontiers telle quelle, toute faufilée d'épingles.

...

MIRANDA: Laissez. Prenez-moi dans vos bras. Écoutez votre cœur. Vos yeux sont pleins de désir. Je me donne à vous… C'est ça... Embrassez-moi.

...

MIRANDA: Ha!

...

MIRANDA: Vos aiguilles nous ramènent à la réalité des lois de notre Banlieue.

…

MIRANDA: Pardonnez mon égarement. Il ne faut pas continuer dans cette voie.

…

MIRANDA: Taisez-vous. Ce jeu est trop dangereux. Je n'aurais pas dû vous y entraîner. J'ai mal agi avec vous. Notre situation est impossible, intolérable... Nous devons nous plier aux ordonnances et tenter de jouer notre rôle avec conviction malgré le tiraillement des tentations passagères. Nous devons porter le masque du mensonge. Nous sommes prisonniers de notre monde.

...

MIRANDA: Ne me retenez pas. Laissez-moi sortir de votre vie comme j'y suis entrée. Pardonnez-moi. Je ne reviendrai plus terroriser votre cœur… Brûlez cette robe. Détruisez le patron. Ainsi nous pourrons nous libérer de son emprise sur nous… Adieu, Mouton… Je me dérobe... Je m'enfuis malgré moi.

XX. MOUTON

Mouton continue de lire le testament.

MOUTON: «À Londres, il y a plus de morts que de vivants. Les vivants n'osent plus enterrer les morts, n'osent plus les toucher. À Londres. Mais notre village n'est pas Londres.»... Eyam. Londres. Qu'est-ce que le pasteur William Mompesson leur a dit? Qu'il ne fallait pas fuir... «Ceux qui se sauvent transporteront la maladie avec eux. La semence invisible sera cachée dans leurs bagages, leurs habits, sur leurs mains, leurs lèvres.»... Ils portaient la peste. Ils la portaient! Londres. Eyam. La peste a voyagé. Quelqu'un l'a apportée dans le village d'Eyam. Quelqu'un. C'est ce qu'il faut comprendre... Un marchand. Oui, oui. Comme Flibotte. Voilà ce qui a dû se passer: le couturier a reçu un ballot de patrons et de tissus de Londres. Le germe de la maladie y dormait. Il a été réveillé par la chaleur de la peau sur le tissu... «En l'an de grâce 1665, moi, simple couturier, du village d'Eyam, dans le Derbyshire, malade et mourant, j'écris ici mon testament.»... Moi, Mouton. Simple tailleur. Malade et... L'histoire se répète. Le germe a voyagé jusqu'à moi. Couturier d'Eyam, je te comprends... Non, non. Mouton, laisse ce testament. Retourne à ton travail... Tu dois finir le costume. Tu dois passer à l'action... Monsieur Royal, vous porterez votre costume. Il vous siéra à merveille... Il vous saignera à merveille... Je suis le couturier d'Eyam.

XXI. YOLANDE

Yolande et Royal, après la lecture du tome deux.

YOLANDE: Oh! Royal! C'était donc ça! Quelle joie!

...

YOLANDE: Je sens encore le picotement dans ma peau. Dans les lèvres, les oreilles, le nez, le bout de mes seins, ça picote. Je suis un feu qui crépite.

...

YOLANDE: Nous avons réussi. J'ai connu la grande joie: l'orgasme. Je suis sûre que c'était ça. Le picotement. La sensation d'une décharge électrique qui traverse tout ton corps. C'était merveilleux.

...

YOLANDE: Je veux recommencer. J'en veux encore. Je suis toute frétillante d'excitation.

...

YOLANDE: Reprenons comme tantôt: le premier tome, le deuxième et l'orgasme encore une fois!

...

YOLANDE: Sautons des étapes. Essayons de nouvelles positions.

...

YOLANDE: Royal, je t'en supplie.

...

YOLANDE: Ton sexe? Ton mal de tête est descendu dans ton sexe?

...

YOLANDE: Bien sûr. Si tu as mal au sexe, inutile d'essayer d'avoir un deuxième orgasme.

...

YOLANDE: Pour toi, c'était comment?

...

YOLANDE: Pourquoi ne veux-tu pas en parler? Moi, je pourrais en parler sans arrêt…

...

YOLANDE: D'accord. Je vais garder ça pour moi.

...

YOLANDE: Royal, dis-moi que tu m'aimes.

...

YOLANDE: Je le sais bien. Je ne suis pas ta femme, mais…

...

YOLANDE: Moi, je crois que je t'aime. En ce moment. Je t'aime... Je me sens tellement bien là, tout près de toi. Je suis encore toute chaude. Quand cette joie, cet orgasme, a envahi mon corps, j'ai eu la profonde sensation de me donner à toi, complètement… Je t'aime, Royal.

…

YOLANDE: Pourquoi n'aurais-je pas le droit de t'aimer?

…

YOLANDE: Je ne voulais pas empirer le mal dans ton sexe avec toutes mes questions. C'est ça. Retournons à nos affaires. Moi, à ton discours d'investiture. Toi… à ta femme.

XXII. ROYAL

Royal félicite Flibotte.

ROYAL: Bravo! Félicitations, Flibotte! Vous êtes un génie! Vous m'avez sauvé!

…

ROYAL: Qui êtes-vous vraiment? Certainement pas un simple marchand de tissus ni un vulgaire pirate informatique.

…

ROYAL: Philanthrope? J'aime ça. J'aime le mot. La philanthropie. C'est beau.

…

ROYAL: Oui, oui. Aider les hommes à être heureux. Bien. Bien. Bien sûr. Évidemment. Vous m'avez rendu heureux. Le système de contrôle de la Frontière fonctionne de nouveau. Je peux reprendre le cours de mes affaires. Mes ennemis n'ont pas réussi à déranger mon cheminement. Ma progression. Mon dépassement.

…

ROYAL: Il faut se dépasser. C'est le but, la direction, l'orientation de la vie. Ma vie. La vie.

…

ROYAL: Restez, Flibotte. Laissez-moi vous convaincre de rester à mon service. Écoutez-moi. Écoutez ma proposition.

…

ROYAL: Fausse modestie! Aidez-moi et je saurai vous le rendre. J'ai un projet. Un grand projet. Le projet.

...

ROYAL: Vous savez que je suis le créateur de Lazarette. Une grande œuvre humanitaire, ça. Car je suis un grand humaniste, moi. Un philanthrope, comme vous.

...

ROYAL: Lazarette est un succès. C'est une solution géographique à un problème de santé: la Maladie. Voilà. Il faut penser comme ça. C'est ma philosophie d'urbanisme. L'espace, vous savez, l'occupation de l'espace, c'est ça, la vie humaine. Depuis toujours, depuis le début des temps. L'urbanisme, c'est le fondement même de la civilisation. La ville est une solution. Des villes fermées, évidemment. Parce qu'il faut contenir le problème pour le résoudre. Voilà.

...

ROYAL: Écoutez. Je veux reconquérir la Cité. Vous comprenez? Reconquérir. La Cité, c'est l'âme de notre civilisation. Nous devons la reprendre. Suivez mon raisonnement. Au début, j'ai créé le système de contrôle de la Frontière entre la Banlieue et la Cité. Parce qu'il fallait séparer le bon grain de l'ivraie. Puis j'ai créé Lazarette pour sortir la Maladie et de la Banlieue et de la Cité. Isoler le germe malade pour l'empêcher d'infecter toute la récolte. Maintenant, je vais créer d'autres villes fermées pour séparer l'ivraie de l'ivraie, pour démêler les mauvaises herbes d'entre elles afin d'arrêter le croisement des gènes qui favorise l'éclosion de plantes résistantes aux herbicides.

...

ROYAL: La majorité des hommes sont des plantes, des végétaux. Moi. Vous. Nous sommes les jardiniers responsables de l'aménagement de la terre. Notre tâche est grande.

...

ROYAL: J'ai besoin de vous pour contrer les attaques sournoises de mes ennemis, les jaloux, les vautours, les...

...

ROYAL: Flibotte? Pourquoi vous défilez-vous ainsi? Attendez-moi. Je ne peux pas vous suivre. Mes pieds me font trop mal. Flibotte!

XXIII. YOLANDE

Yolande veut reprendre avec Royal les activités interdites.

YOLANDE: Royal. Donne-moi tes mains. Donne-moi ta bouche. Entre en moi. Unissons-nous encore une fois... Royal?

...

YOLANDE: Pourquoi me boudes-tu?

...

YOLANDE: Je ne te crois pas. Tu me refuses en prétextant avoir mal aux pieds parce que je t'ai dit «je t'aime».

...

YOLANDE: Ne cherche pas un nouveau chapitre.

...

YOLANDE: Oui, on a eu besoin du livre pour exécuter des gestes oubliés. Mais l'amour n'était pas dans le texte, ni dans les illustrations. L'amour est entre nous, entre nos deux corps.

...

YOLANDE: Ferme le livre! Cesse d'étudier les images. Je suis là, moi. En chair et en os. Toute prête à me donner à toi.

...

YOLANDE: Tu ne veux plus de moi?

...

YOLANDE: Si, par hasard, une partie de toi était restée en moi après l'orgasme, une partie de toi qui voudrait grandir dans mon ventre, que ferais-tu?

...

YOLANDE: On saurait qu'il est de toi. Un simple test d'A.D.N. confirmerait la chose.

...

YOLANDE: Quittons la Banlieue. Trouvons un endroit où nous pourrons nous aimer. Dans la Cité ou ailleurs.

...

YOLANDE: Royal! Mon corps a toujours faim de tes caresses. Une faim inapaisable. Tes doigts. Ta main. Ton sexe.

...

YOLANDE: Moi, je n'arrive pas à effacer le souvenir des excitantes sensations que tu m'as fait vivre. Elles me hantent. Je pense toujours à toi. Je t'aime.

...

YOLANDE: Je ne peux pas me couper en deux. Dans mon désir, il y a de l'amour.

...

YOLANDE: Je ne suis pas malade! Je ne veux pas de psychothérapie érotologique! Je te veux, toi!

...

YOLANDE: Tais-toi! Tu ne pourras pas conjurer ce qui brûle en moi en me récitant les versets du Credo. Nous avons transgressé les Lois, ensemble!

...

YOLANDE: Alors va retrouver chez ta femme ce que tu as perdu chez moi. Va reprendre ta place à ses côtés, futur maire de la Banlieue. Tu ne penses qu'aux parades et aux parures.

...

YOLANDE: Va-t'en!

...

YOLANDE: Marche sur la pointe des pieds si tes pieds te font si mal. Marche en boitant. Mais marche. C'est mon cœur que tu piétines en restant là devant moi.

...

YOLANDE: Oui, j'ai fini ton discours d'investiture. Prends-le, en sortant. Il est sur ma table de travail. Prends-le. Apprends-le. Mets-le dans ton cœur vide. Je te donne des mots auxquels je ne crois plus: chasteté, pureté, moralité... Adieu, Royal.

...

YOLANDE: Sois sans crainte. Qui va me croire? Je ne suis qu'une femme, ta secrétaire, une hystérique.

XXIV. MOUTON

Mouton est troublé.

MOUTON: La terreur se répand dans notre calme village de 350 habitants. Le bon pasteur William Mompesson dit qu'il ne faut point fuir. Aucun sanctuaire n'attend ni les malades ni les bien portants. L'entendement du bon pasteur est juste. Personne ne peut échapper à la fureur du Ciel. Vos vêtements, mes chers concitoyens, sont votre perte. Ne juge-t-on la valeur d'un homme par ce qu'il a sur lui et point par ce qu'il a en lui?

Flibotte entre.

MOUTON: Ah! C'est toi, Flibotte. Le Malin m'a fait voir le moyen de ma vengeance. Je me suis fait l'émissaire de la Bête. Mes aiguilles sont autant de flèches empoisonnées.

...

MOUTON: C'est écrit! J'écris, moi, la suite. Sur les parchemins. De ma main.

...

MOUTON: Il y a que... Je ne sais plus. Est-ce le jour? Est-ce la nuit? Qui es-tu, Flibotte? Pourquoi m'as-tu plongé dans ce gouffre tourmentant?

...

MOUTON: Aide-moi. Je suis perdu entre deux mondes. Le testament du couturier m'a envoûté. J'ai commis une grave erreur.

...

MOUTON: J'ai fait livrer le costume de monsieur Royal à son bureau. Je lui ai retourné un vêtement truffé d'aiguilles, dissimulées dans les coutures. Oh! Qu'ai-je fait? Quel démon m'a poussé à faire une telle chose? Mes actions ont dépassé mes intentions. La tristesse est une basse qualité qui pousse aux gestes les plus lâches. Comment puis-je réparer ma faute?

…

MOUTON: Pourquoi m'as-tu remis ce ballot de tissus et de patrons? À cause de toi, tout le village d'Eyam se meurt!

…

MOUTON: La Banlieue? Ah, oui! Aujourd'hui. La Banlieue.

…

MOUTON: Tu as raison. Je travaille trop. Dormir, oui. Dormir pour faire taire cette voix qui me tourmente. Mon cœur est défait.

XXV. ROYAL

Royal va voir Mouton.

ROYAL: Hé, Mouton! Réveille-toi! Qu'est-ce que tu as à dormir en plein jour? Mouton!

...

ROYAL: Pourquoi? Pourquoi cet attentat contre moi?

...

ROYAL: Mon costume! Avoue que tu fais partie du complot!

...

ROYAL: Le complot pour me déshonorer. Vous voulez m'empêcher de devenir le prochain Maire de la Banlieue? Mais ça ne se passera pas comme ça.

...

ROYAL: Je ne suis pas le pasteur William Mompesson!

...

ROYAL: Cette robe!

...

ROYAL: Elle était dans mes rêves. Que fait-elle ici?

...

ROYAL: Vilain tailleur! Conspirateur! Traître!

...

ROYAL: Cet air? Dans tes yeux! Oui. C'est l'air de… Tu as les yeux vitreux. Donne-moi ta main.

...

ROYAL: Ta main! Laisse-moi toucher ta peau. Ah! Poisseuse, la peau. De la fièvre avec ça? Hein? Oui. Je le savais. Voilà. C'est ça.

...

ROYAL: Les signes avant-coureurs.

...

ROYAL: Tu es infecté, Mouton. Infecté! Non. Ne t'approche pas de moi.

...

ROYAL: Tu es. Tu es malade. Là. Ça se voit. Prépare-toi. J'avertirai les Services sanitaires. Ils te… Les S.S. s'occuperont de toi. Lazarette pour toi. Traître!

XXVI. MOUTON

Mouton est seul dans son délire.

MOUTON: À cette heure, l'essence et le mouvement de la fureur du Ciel sont au service de ma vengeance.

…

MOUTON: Je suis perdu. Le Jugement dernier m'attend. J'ai donné et les fièvres et la mort à mes concitoyens. Le bon pasteur William Mompesson a-t-il compris pourquoi j'ai commis ce crime odieux?

…

MOUTON: Qui va là?… Miranda, c'est vous?… Ann Mompesson?

…

MOUTON: Les clochettes tintent mais personne n'entre. J'entends les clochettes tinter, mais la porte ne s'ouvre pas. Je suis enfermé dans mon rêve. Torturé par cette robe. Là, devant moi. La maléfique.

…

MOUTON: Flibotte! Aide-moi! Sauve-moi!

…

MOUTON: Aucun sanctuaire n'attend ni les malades ni les bien portants.

…

MOUTON: Personne ne viendra me secourir. Il n'y a que toi. Tu n'es plus une robe inanimée. Tu vis… Entrez! Cessez de faire tinter les clochettes! Entrez donc! Montrez-vous!

…

MOUTON: Bonjour Miranda! La robe vous sied à ravir. Que vous êtes belle! Mais… Vous ressemblez à Ann Mompesson… Miranda? Ann? Laquelle des deux êtes-vous? Qu'importe! Prenez-moi. Arrachez-moi à ma condition servile. Faites de moi un homme libre. Je vous aime.

...

MOUTON: J'entre en vous. Votre peau glisse sur ma peau. J'entre en vous. Votre chair est dans ma chair. J'entre en vous. Votre cœur et mon cœur ne forment plus qu'un. Corps à corps. Je suis en vous. Vous êtes en moi. Nous sommes unis à jamais.

XXVII. ROYAL

Royal fait irruption chez le docteur Corvin.

ROYAL: Docteur Corvin! Je me fous de vos autres patients. Je dois vous voir. Je dois. Je suis. Je ne suis pas moi-même. Ah! C'est insupportable!

...

ROYAL: Le mal m'a envahi. Des aiguilles me transpercent. Des aiguilles sur la peau, dans les os. Des aiguilles à l'extérieur comme à l'intérieur. Là. Ici. Dedans. Lui. Moi. Des aiguilles.

...

ROYAL: Ils sont contre moi. Ils m'attaquent. Ah! Les scélérats! Les verrats! Les porcs! Les porcelets! Là! Je l'ai dit! Ils ne m'auront pas!

...

ROYAL: Il y a que. Que. Il y a le virus dans le système, les maux de tête, de poitrine, de ventre, de sexe, de pieds, puis là, ce tailleur maudit. Il est malade. Je l'ai vu. Il a voulu m'infecter. Il a voulu me piéger avec son costume truffé d'aiguilles. Il voulait me tuer. Avec ses aiguilles. Ça ne se passera pas comme ça. J'ai vu. Clair, j'ai vu.

...

ROYAL: Mouton fait partie de ce groupe, ce groupuscule, cette cellule. Des bandits! Ils veulent me détruire!

...

ROYAL: Des machinations. Des inventions. Un plan infernal. Un complot. Non. Non. Non. Tassez-vous. Laissez-moi respirer. On ne respire plus ici. Ah! L'air est jaune. Vous voyez. L'air. Jaune. Mon Dieu! Mon Dieu! La pollution nous envahit! Sortir! Sortir! Sortir!

...

ROYAL: Rien. Non. Pas d'injection. Vous voulez m'empoisonner? C'est ça. Vous faites partie du complot, vous aussi. Oui. Vous êtes avec eux. Ah! Moi qui croyais en vous. Je caressais tous les espoirs. Je croyais à ma guérison. Mais ça n'a fait qu'empirer. Vous êtes une espionne! Parlez!

...

ROYAL: Vous avez une sale tête de corbeau. Une sale tête. Noire la tête. Un corbeau. Avec votre long bec, vous voulez me piquer. Me transpercer. Me crever.

...

ROYAL: Vilain corbeau! Ouvre tes ailes et je te tue! Ah! Oh! Bas les griffes! Tu ne m'auras pas! Tu! Ah!

XXVIII. FLIBOTTE, MIRANDA

Flibotte fait entrer Miranda chez Mouton.

FLIBOTTE: Il est trop tard.

...

FLIBOTTE: Miranda, vous arrivez trop tard. Moi aussi, je suis arrivé trop tard.

...

FLIBOTTE: Ce matin, en approchant de la boutique, j'ai vu l'ambulance des Services sanitaires. Votre mari a fait déporter mon ami Mouton à Lazarette.

...

FLIBOTTE: Si c'est la robe que vous cherchez des yeux, elle n'est plus ici. Mouton la portait quand ils l'ont enfourné dans l'ambulance.

...

FLIBOTTE: Il la portait. Il était presque beau dans cette merveilleuse robe. Presque, parce qu'il semblait avoir perdu la tête.

...

MIRANDA: Tout ça est de ma faute, monsieur Flibotte. J'ai corsé la tisane de mon mari en y ajoutant un poison qui agit lentement, un poison qui fait souffrir sans tuer et sans laisser de traces. C'est propre, invisible.

...

MIRANDA: Je l'admets. Ce n'était pas sage de ma part. Royal est un homme puissant. Dans son délire paranoïaque, il va faire beaucoup de mal. Comment peut-on l'arrêter?

...

FLIBOTTE: Avec ça, ma chère Miranda. C'est la puce électronique qui sert à identifier les malades de Lazarette. Les identifier pour mieux les surveiller et ainsi s'assurer que la Maladie reste à l'intérieur des murs de la ville des malades.

...

FLIBOTTE: Nous réactiverons cette puce. Nous l'implanterons dans votre mari. Là. Dans la nuque. Sous la peau. Les Services sanitaires passeront le ramasser. Il ira rejoindre ce pauvre Mouton.

...

FLIBOTTE: Je ferai ça pour un ami et pour le mieux-être de l'humanité. Après, il faudra disparaître, Miranda. La Banlieue deviendra vite un non-lieu.

XXIX. ROYAL, MIRANDA, FLIBOTTE

Chez lui, Royal cherche un refuge.

ROYAL: Pas de piqûre. Pas. Une tisane. Je veux ma tisane. S'il te plaît, Miranda. Je t'en supplie. Sers-moi une bonne tasse de ta tisane spéciale. Je suis. Je. Je suis à bout de force. Je ne suis plus capable de bouger. J'ai trop bougé. Trop marché. Trop couru. Le mal est. Je ne peux pas lui échapper. Il est. Là. Ici. En moi, en tout ce que je vois. Il. Je suis prisonnier de ce mal sans nom. Je. Miranda! Aide-moi!

Entrée de Miranda.

MIRANDA: Tiens, Royal. Voilà ta tisane. Bois.

...

MIRANDA: Calme-toi. Laisse la tisane agir.

Entrée de Flibotte.

FLIBOTTE: Buvez jusqu'à la lie, monsieur Royal. Buvez à la lie du peuple. Buvez.

...

FLIBOTTE: Surpris de me voir ici en compagnie de votre charmante femme? Il ne faut pas. Votre femme et moi, nous avons de communes raisons d'être ici, à votre chevet.

...

FLIBOTTE: Vous souffrez? Pauvre homme. Vous êtes malade. Il y a un endroit spécialement conçu pour les malades.

...

FLIBOTTE: Vous la reconnaissez? Votre fameuse puce. On me l'a implantée injustement. Sans procès, on m'a condamné à cette ville d'exclus et de bannis qu'on laisse à leur mort.

...

FLIBOTTE: J'ai réussi à déjouer la surveillance. Je suis un rat, comme l'aurait dit mon ami Mouton. Un rat. Un rat, ça passe partout. Ça se tapit dans les coins sombres. Ça cherche les issues cachées, les chemins souterrains. Je suis sorti de votre ville maudite par les égouts. J'ai évité d'être repris par les Services sanitaires. J'ai contaminé votre système de contrôle de la Frontière pour vous atteindre.

...

FLIBOTTE: Elle est en vous maintenant. Lazarette vous attend.

...

FLIBOTTE: Sauvez-vous, Miranda. Dans moins d'un quart d'heure, tous les systèmes informatiques de la Banlieue vont s'autodétruire. J'ai placé une bombe virale à retardement dans le serveur principal. Cette attaque ne ratera pas. Parole de rat. Partez avant que la Banlieue ne sombre dans le chaos. C'est bien connu, quand le chaos s'installe chez des gens civilisés, les pires horreurs sont perpétrées.

XXX. MOUTON, ROYAL

À Lazarette, Mouton est dans la robe et Royal est attaché à un lit.

MOUTON: «En l'an de grâce 1665, moi, simple couturier, du village d'Eyam, dans le Derbyshire, malade et mourant...»

ROYAL: Là, le corbeau. Son bec.

MOUTON: Ce matin, le pasteur Mompesson est venu me voir. Il était accompagné du médecin de la peste. Trop faible, je suis resté cloué au lit. Le médecin portait un grand costume à tête d'oiseau. Dans sa main, il tenait une longue baguette jaune. Pendant que le bon pasteur Mompesson récitait des prières pour le salut de mon âme, le médecin s'est approché de moi.

ROYAL: Recule, corbeau! Va-t'en!

MOUTON: Avec sa baguette jaune, le médecin m'a piqué.

ROYAL: Ah!

MOUTON: Dans une écuelle, il a recueilli mon sang.

ROYAL: Je saigne.

MOUTON: Puis, grâce à un long cautère chauffé au rouge, il a brûlé la plaie.

ROYAL: Non!

MOUTON: «*Lord, have mercy on us!*» entonnait le pasteur Mompesson pour enterrer mes cris. «*Lord, have mercy on us!*»

ROYAL: Le corbeau ouvre ses ailes. Il…

MOUTON: On veut me sacrifier pour la commune guérison du village d'Eyam.

ROYAL : Le corbeau a le bec en sang. Il… Je suis mort.

MOUTON: Je laisse ce patron, une œuvre inachevée. Un jour, quelqu'un confectionnera la robe d'Ann Mompesson. Un jour, mon amour pour Ann Mompesson sera révélé. Un jour, je serai...

XXXI. FIN

...

Entre les mois de septembre 1665 et d'octobre 1666, la peste décima le village éloigné, coupé du monde en fait, d'Eyam, dans le Derbyshire. À la fin, il ne resta que trente survivants sur les 350 villageois, dont le pasteur William Mompesson. On croit que la maladie fit son apparition dans le village par le biais d'une boîte en provenance de Londres. Adressée au tailleur, la boîte contenait des patrons et de vieux vêtements. Le tailleur succomba le premier à la peste.

Source: Geoffrey Marks et William K. Beatty, *Epidemics*, New York, Charles Scribner's Sons, 1976.

L'intérieur de ce livre est imprimé sur
du papier certifié FSC, 100 % recyclé.

Achevé d'imprimer en juillet 2008
sur les presses de l'imprimerie Gauvin,
Gatineau, Québec